LA LECTURE EST UN
ENRICHISSEMENT PERMANENT,
UN PLAISIR CONSTANT et
de l'EVASION TOUJOURS

A NOUVEAU, FELICITATIONS

JEANNA

Amicalement
VERONIQUE

JUILLET 2005

Le livre de la jungle

Walt Disney

Le livre de la jungle

HACHETTE

Ont collaboré à cet ouvrage :
Marie Tenaille pour le texte et
l'Atelier Philippe Harchy pour les illustrations.

Hachette Livre, 43, quai de Grenelle, 75015 Paris.

Chapitre 1

Bagheera, la grande panthère noire, avait faim. Depuis l'aube elle chassait. Agile, elle progressait lentement dans la jungle mystérieuse, se glissant sans bruit entre les branches, calculant chacun de ses pas afin de ne pas trahir sa présence. Mais elle avait beau se faufiler à travers les lianes, rester immobile, tapie sous les fourrés, tous les sens en éveil, aucun gibier ne se montrait.

Bagheera bondit avec souplesse sur une branche. Ses yeux d'or fouillèrent longtemps les alentours. En vain ! Pas une proie en vue...

« Si je ne peux pas assouvir ma faim, je peux au moins me désaltérer ! » se dit-elle en sautant de l'arbre pour se diriger vers la rivière.

La panthère noire buvait à grandes lampées quand un cri perçant lui fit relever la tête. Les oiseaux s'étaient tus, les insectes avaient cessé de bourdonner. Dans le silence, le cri retentit de nouveau, plus fort, plus plaintif.

« C'est étrange ! s'étonna Bagheera. Je ne connais aucun animal capable de gémir ainsi. »

Doucement, guidée par cette étrange plainte, la panthère noire se glissa à pas feutrés le long de la rive et s'approcha de l'endroit d'où venaient les cris. Une barque brisée, abandonnée, était échouée

là. Bagheera remarqua qu'il y avait une corbeille à l'intérieur. Elle s'avança prudemment et regarda :

« Un petit d'homme ! s'excla-ma-t-elle. Tout seul, loin d'un village... Il va mourir de faim et de soif ! »

La panthère observait l'enfant, stupéfaite et désemparée, cherchant ce qu'elle pouvait faire pour l'aider. Les pleurs reprirent et la décidèrent à agir. Prenant les anses du panier entre ses crocs, Bagheera le sortit de la barque et le posa sur la berge pour réfléchir.

« Je ne saurai pas m'occuper de ce bébé, pensa-t-elle, mais je connais Mère Louve. Elle a déjà des louveteaux ; on dit qu'elle est la meilleure mère de la jungle.

Elle ne refusera pas d'élever ce petit avec les siens ! »

Bagheera reprit la corbeille et se dirigea vers la caverne des loups. Le petit d'homme, bercé par le balancement du panier, ne pleurait plus ; il dormait.

Bagheera réfléchissait : elle ne devait pas se mêler des affaires des autres ni leur imposer quoi que ce soit, c'était la loi.

« Je vais laisser Mère Louve choisir elle-même d'adopter ou non ce bout d'homme », décida-t-elle en abandonnant le panier devant la tanière des loups.

Elle alla se cacher non loin de là, derrière un fourré, pour observer ce qui allait se passer. La panthère vit sortir plusieurs louve-

teaux. Ils s'amusaient à se poursuivre et à se mordiller. Le bébé
poussa un cri. Les petits loups
s'immobilisèrent. Du fond de la
caverne, la louve l'avait entendu.

« Quel bruit étrange ! » gronda-
t-elle, aussitôt inquiète pour sa
portée.

Elle sortit pour voir de quoi il
s'agissait. Malgré ses recomman-
dations de prudence, les louveteaux trottinaient tout autour
d'elle.

Apercevant le panier, Mère
Louve huma l'air un instant pour
se rassurer, puis s'avança avec
curiosité, suivie de ses loupiots qui
se bousculaient derrière elle.

« Un petit d'homme ! s'écria
Mère Louve, étonnée et émer-

veillée. Regardez, il me sourit !
Comme il est beau ! Mais que fait-
il ici, en plein cœur de la jungle,
tout seul, sans défense ? Si personne ne s'en occupe, il va mourir. Gardons-le avec nous ! »

Les louveteaux sautillaient de
joie autour de l'enfant. Derrière
son buisson, Bagheera poussa un

soupir de soulagement et s'éloigna sans bruit. Quand Père Loup rentra ce soir-là, il fut bien étonné de trouver un bébé d'homme dans la tanière familiale.

« Si notre clan l'accepte, nous le garderons ! déclara-t-il. Il n'a personne pour prendre soin de lui.

— Je lui ai déjà trouvé un nom, lui indiqua Mère Louve. Nous l'appellerons Mowgli, cela veut dire grenouille ; quand il remue bras et jambes, on dirait une petite grenouille ! »

C'est ainsi qu'à partir de ce jour, le petit d'homme, accepté par le clan, grandit parmi les loups. Il aimait tendrement Mère Louve, Père Loup, et entraînait

chaque jour ses frères louveteaux
dans de nouveaux jeux.

Mowgli passait aussi de longs
moments avec Bagheera qu'il
accompagnait souvent à la chasse,
écoutant ses conseils. Dix saisons
des pluies s'écoulèrent ainsi. Mowgli était devenu un beau garçon,
fort et agile. Mais un jour, Akela,

le chef du clan, réunit les loups en conseil extraordinaire. Bagheera, la panthère noire, avait aussi été conviée. Akela attendit le silence complet pour prendre la parole :

« Shere Khan est de retour, déclara-t-il, la voix grave. Ce maudit tigre ne respecte rien ! Depuis qu'il est revenu chez nous, il devient

impossible de chasser pour se nourrir… Selon la loi de la jungle, nous ne devons tuer que pour manger. Mais lui tue pour son plaisir, sans respecter notre loi ; il a fait fuir tous les habitants de la forêt. »

Une rumeur d'inquiétude parcourut toute l'assistance.

« Nul n'ignore sa cruauté, reprit Akela. S'il apprend qu'un petit d'homme vit avec nous, il viendra le dévorer.

— Nous le défendrons ! rugit Père Loup.

— Shere Khan sera le plus fort, dit Akela. Nous ne pourrons rien contre lui. Il faut que Mowgli retourne au village vivre parmi les hommes. »

Mère Louve, désolée, serrait Mowgli contre elle.

« Je veux rester dans la jungle avec le clan, gémit Mowgli. Je suis un loup !

— Non, Mowgli ! répondit fermement Akela. Crois-moi, en demeurant ici tu fais courir de grands dangers au clan. Shere Khan nous massacrera tous pour te manger... Tu dois partir !

— Dans ce cas, j'accompagnerai Mowgli jusqu'au village des hommes pour qu'il ne lui arrive rien, proposa Bagheera.

— Nous te confions le petit d'homme, déclara Akela.

— Je veux rester avec Mère Louve et Père Loup ! » gémissait le petit d'homme, désespéré de quitter sa famille d'adoption.

Les louveteaux, pour une fois calmes et silencieux, ne pouvaient croire au départ de leur meilleur compagnon. Tout le clan pleurait. La séparation fut pénible, les adieux à Mère Louve et Père Loup interminables. Enfin, Mowgli et Bagheera se mirent en route côte

à côte. Mowgli, en larmes, se retourna plusieurs fois. Ils marchèrent longtemps. Quand le soir tomba, la panthère s'arrêta devant un arbre gigantesque.

« Grimpons là-haut pour dormir, dit-elle. C'est plus sûr... »

Mowgli sauta, s'agrippa de toutes ses forces à l'énorme tronc et tenta de l'escalader, sans succès.

« C'est que je n'ai pas de griffes ! grogna-t-il, vexé.

— Grimpe sur mon dos », lui dit gentiment Bagheera.

Elle voulait ainsi montrer au petit d'homme qu'il avait grand besoin d'elle pour traverser la jungle.

En quelques bonds, elle escalada l'arbre avec lui, s'allongea de

tout son long sur une belle branche, bâilla et s'endormit. Mowgli
ne trouvait pas le sommeil. Il avait
trop de chagrin. Soudain, dans
l'obscurité, le garçon sentit qu'on
l'observait. Deux étranges yeux
jaunes étaient fixés sur lui. Une
tête triangulaire, un long corps

interminable enroulé autour d'une branche... C'était Kaa, le redoutable python dont Mère Louve lui avait souvent parlé !

« Oh ! quel adorable petit d'homme ! siffla le serpent en balançant la tête. Regarde-moi bien.

— Va-t'en ! » cria Mowgli en tentant de détourner le regard.

Mais déjà, les yeux jaunes s'élargissaient et le fascinaient ; Mowgli sentait ses forces l'abandonner et une douce torpeur l'envahir... Les anneaux de Kaa s'enroulaient autour de son corps et ce n'était pas désagréable. Lorsque l'étreinte se resserra autour de son cou, Mowgli cria pourtant :

« Bagheera ! »

Aussitôt réveillée, la panthère bondit sur Kaa dont la gueule s'ouvrait déjà pour avaler Mowgli. La tête du python alla frapper violemment contre la branche.

« Tu vas me le payer, siffla Kaa, fixant Bagheera de son regard jaune. Regarde-moi dans les yeux... dans les yeux ! »

La panthère refusait de se soumettre, mais Kaa réussit à capter son regard ; Bagheera était prise sous son charme... Mowgli, réveillé de sa torpeur, comprit soudain le danger. De toutes ses forces, il se rua sur le python. Le long corps de Kaa bascula lourdement dans le vide.

« Je l'ai fait tomber ! dit-il à Bagheera qui reprenait ses esprits,

tandis que Kaa s'éloignait en sifflant des menaces.

— Tu vois comme la jungle est dangereuse, rappela Bagheera au garçon. Les animaux ne sont pas tous tes amis !

— Les loups sont toujours mes frères, et j'ai vaincu Kaa, répondit Mowgli en bâillant de fatigue et de sommeil.

— Dors, dors, mon petit d'homme, nous en reparlerons demain », dit tendrement Bagheera en s'allongeant sur la branche.

Mowgli s'appuya sur Bagheera qui enroula affectueusement sa queue autour de lui. Tous deux s'endormirent bientôt.

Le jour se levait. Un grondement sourd résonna dans toute la
jungle. Mowgli ouvrit les yeux et
se pencha pour voir ce qu'il se passait : un vieil éléphant marchait
pesamment en frappant d'un
grand coup le sol à chaque pas.
D'autres éléphants le suivaient à

la file indienne en l'imitant de leur mieux.

« Une-Deux ! Une-Deux ! barrissait l'énorme éléphant, la trompe en l'air. Avancez, bande de fainéants ! »

« Qu'ils sont sympathiques ! se dit Mowgli. Je suis sûr que nous pourrions devenir les meilleurs amis... »

Mowgli saisit une liane et se laissa glisser jusqu'au sol. Alors il découvrit, trottinant loin derrière, un éléphanteau qui s'efforçait de rattraper les grands. Mowgli, curieux, l'arrêta au passage :

« Hé ? Là-bas ! Qu'est-ce que vous faites ? lui demanda-t-il.

— On s'entraîne ! répondit fièrement l'éléphanteau.

— Et lui, c'est qui ?

— Notre chef, le colonel Hathi.

— Je peux m'entraîner avec vous ?

— Bien sûr, fais comme moi : Une-Deux ! Une-Deux ! »

Mowgli les suivit à quatre pattes en imitant de son mieux leur allure, persuadé qu'il ressemblait à un petit éléphant.

« HALTE ! » hurla le colonel Hathi.

Le premier éléphant stoppa net, le second lui rentra dedans, le troisième vint caramboler les deux premiers et ainsi de suite... jusqu'à Mowgli qui alla buter sur l'éléphanteau. Quel désordre et quel bruit ! Tout ce monde gro-

gnait, barrissait. Le colonel Hathi était fort mécontent.

« INSPECTION ! » hurla-t-il quand ils furent remis sur pied.

Toutes les trompes se tendirent à l'horizontale.

« Essaie d'en faire autant », conseilla l'éléphanteau à Mowgli qui allongea désespérément le cou...

Ayant inspecté sa section et fait des reproches à chacun, l'énorme chef arriva devant l'éléphanteau.

« C'est bien, mon fils ! » dit-il gentiment.

Mais quand le colonel découvrit Mowgli, il poussa des barrissements de fureur.

« Trahison ! Un petit d'homme dans ma section, dans ma jungle !

— Ce n'est pas ta jungle ! » dit bravement Mowgli, vexé de ne pas être pris pour un éléphanteau en dépit de ses efforts.

Furibond, Hathi le saisit du bout de sa trompe et l'éleva à la hauteur de ses yeux flamboyant de colère :

« Aux arrêts de rigueur. Emparez-vous de lui, vous autres ! »

À ce moment-là, Bagheera sortit de sa somnolence et comprit la situation en un clin d'œil.

« Colonel ! intervint Bagheera, ce petit d'homme est avec moi, je le conduis au village des hommes.

— Alors, vas-y ! Et s'il est sous ta garde, surveille-le ! » lâcha Hathi qui rejoignit sa patrouille en bougonnant.

« Je regrette, dit gentiment l'éléphanteau à Mowgli. Ton nez est trop court, ça n'aurait jamais marché. Il va grandir ?

— Un peu, mais pas assez.

— Dommage ! » conclut-il en courant rattraper la patrouille qui reprenait déjà la manœuvre.

« J'aurais tant voulu qu'ils soient mes amis », dit Mowgli l'air sombre, en rejoignant Bagheera à contrecœur.

Tous deux se remirent en route. Au bout d'un moment, Mowgli s'arrêta et déclara à la panthère :

« Bagheera, je ne veux pas aller au village des hommes ; je suis chez moi dans la jungle.

— Allons, Mowgli, sois raisonnable, dit la panthère. Viens, continuons notre chemin. Akela m'a chargée de te conduire chez les tiens.

— Je reste ici ! » déclara le garçon.

Il courut vers un jeune arbre, l'entoura de ses deux bras et s'y cramponna de toutes ses forces.

« C'est ce qu'on va voir ! » dit Bagheera en tirant Mowgli par son pagne pour lui faire lâcher prise.

Mais le garçon se démenait, il ne voulait pas céder.

« Bon, puisque c'est comme ça, reste dans la jungle. Je ne m'occupe plus de toi ! gronda Bagheera.

— Ne t'inquiète pas pour moi ! »
lança Mowgli.

Mais la panthère avait déjà disparu.

Sans trop savoir quoi faire,
Mowgli commença par flâner, puis
il grimpa aux arbres et joua à se
laisser glisser le long des troncs
lisses. Plus tard, il s'assit par terre,
adossé contre un arbre pour réfléchir à cette nouvelle situation :

« Je dois me trouver un abri, un
endroit sûr où passer la nuit,
maintenant que je suis tout seul »,
songeait-il, vaguement inquiet.

Un oiseau s'envola en poussant
un cri perçant qui le fit sursauter.
Puis des branches craquèrent tout
près dans les fourrés. Quelqu'un
venait...

« Et si c'était Shere Khan ? »
pensa Mowgli, le cœur serré, prêt
à fuir en cas de danger.

« Dou-bi-dou-bi ! dou-bi-dou !
claironna une grosse voix, plutôt
rassurante, qu'il ne connaissait
pas, tandis que les pas se rappro-
chaient. Doubidou-bidou ! »

Un gros ours au ventre rebondi
surgit en chantonnant et en se
dandinant d'un pied sur l'autre au
rythme de sa chanson. Il s'arrêta
quand il aperçut Mowgli et alla
droit vers lui en le dévisageant de
ses petits yeux noirs et brillants.

« Tu es qui, toi ? demanda-
t-il en approchant son museau du
petit d'homme pour le sentir.

— Laisse-moi, je veux rester
seul », grogna le garçon, renfro-

gné et pas tellement rassuré devant l'énorme animal.

L'intrus continuait à le regarder avec curiosité. Mowgli appuya sur sa truffe pour le forcer à reculer.

« Va-t'en ! Laisse-moi tranquille ! maugréa-t-il. Je suis Mow-

gli, le petit d'homme. Le conseil des loups m'a renvoyé à cause de Shere Khan, Kaa a essayé de me manger, le colonel Hathi m'a rejeté, Bagheera a décidé de m'amener au village des hommes. Plus personne dans la jungle ne veut de moi. Pourtant je suis fort, tu vas voir ! »

Et bing ! bing ! le garçon furibond se mit à marteler de coups de poing la grosse bedaine de l'ours qui lui dit dans un éclat de rire :

« Je suis le vieil ours Baloo, devenons amis tous les deux. Je vais t'apprendre à te battre comme un ours, moi ! Mais d'abord, il faut que tu saches grogner. La première arme de l'ours, c'est le grognement. Écoute : RROAARRR ! »

Un peu effaré par cette démonstration, Mowgli n'en montra rien à son nouveau camarade. Il retroussa les lèvres, montra les dents et poussa un « Grrr ! » minuscule.

« Avec ça, tu ne ferais même pas peur à une fourmi ! se moqua bruyamment le gros ours, je vais te montrer comment il faut faire pour effrayer l'ennemi. »

Baloo ouvrit grand la gueule et lança un formidable grognement, si retentissant que Bagheera, qui s'était éloignée, l'entendit et s'arrêta, terrifiée.

« Mon petit d'homme, murmura-t-elle, il est en danger. Je

n'aurais jamais dû l'abandonner dans la jungle ! »

La panthère fit aussitôt volte-face et s'élança à longues foulées à travers la forêt. Les grognements devenaient à chaque instant plus effrayants ; Bagheera était épouvantée. Mais soudain, un éclat de rire retentit qui la rassura à demi.

« Pas possible, se dit-elle, c'est Baloo ! Ce gros écervelé fait le fou avec Mowgli. La jungle est grande, mais il a fallu qu'ils se rencontrent tous les deux ! »

Bagheera n'appréciait pas Baloo. Elle le considérait comme le plus insouciant et le plus stupide des habitants de la jungle.

Les deux nouveaux copains s'amusaient tant qu'ils ne virent

même pas Bagheera approcher. Elle s'allongea sur une branche au-dessus d'eux pour les observer.

« Et maintenant, que va inventer ce balourd pour distraire mon petit Mowgli ? » se demanda-t-elle.

Bagheera vit alors Baloo sautiller comme un boxeur en criant :

« Que le plus fort gagne ! »

Quand Mowgli serra les poings et se mit en garde en imitant les sautillements de son adversaire, Bagheera comprit que Baloo voulait enseigner la boxe à Mowgli. L'ours laissa tomber l'une de ses grosses pattes sur la tête de Mowgli sans vouloir lui faire mal ; le garçon tournoya sur lui-même, trébucha et s'abattit sur le sol.

« C'est comme ça que tu traites

ton élève ! lança Bagheera d'une voix sévère. Fais donc attention, maladroit !

— Le plus fort, c'est moi ! » cria Mowgli qui se relevait déjà.

Le garçon attendit le bon moment pour envoyer un coup de poing sur le museau de Baloo, qui fit semblant d'avoir très mal, et se laissa tomber comme une masse sur le sol.

« Assez joué ! glapit Bagheera. Ours écervelé, laisse ce petit et cesse tes simagrées ! Mowgli doit rentrer chez les siens. Nous partons immédiatement pour le village des hommes.

— Pas question, coupa Mowgli, l'air décidé. Je veux m'amuser dans la jungle avec mon nouvel ami.

— Laisse-le-moi, Bagheera, ajouta Baloo en tirant sur la queue de la panthère pour la dérider. Je m'occuperai de lui. Je lui apprendrai tout ce que je sais.

— Regarde, tu ne sais même pas te conduire toi-même, gronda Bagheera qui n'avait pas envie de rire. Et puis, comment le feras-tu vivre ?

— Je lui montrerai comment rechercher "le mini-minimum" dans la nature ; c'est simple et facile, regarde ! » rétorqua Baloo en inclinant vers lui le tronc d'un bananier.

Mowgli tendit la main pour cueillir une banane. Puis Baloo souleva une pierre et découvrit une fourmilière.

« Un coup de langue précis,

j'avale cent fourmis ! » claironna l'ours en se régalant.

Il alla vers un figuier de Barbarie et se servit. Mowgli le suivait et tentait de l'imiter... mais il n'avait pas envie de fourmis et se piqua aux épines du cactus. Baloo se mit à danser gaiement en chantant un couplet de son invention :

« L'ours cherche le nécessaire,
pas plus que le nécessaire !
La nature donne chaque jour
de quoi manger à l'ours ! »

Et il se dandinait en balançant son gros derrière, entraînant le petit d'homme ravi, qui sautillait en cadence sous le regard désapprobateur de Bagheera.

« Baloo, j'ai envie de devenir un ours, lui déclara Mowgli entre deux entrechats.

— Et moi, coupa le joyeux écervelé, j'ai envie de me rafraîchir et me détendre. »

Plouf ! il plongea dans la rivière avec un éclat de rire. Allongé sur le dos, il se laissa bientôt glisser doucement au fil de l'eau.

« Ne m'abandonne pas, Baloo ! cria Mowgli, inquiet, en courant vers la rive. Attends-moi ! »

Le garçon sauta dans l'eau. L'ours l'attrapa au vol et le déposa sur sa bedaine confortable. Mowgli était enchanté. Des branches chargées de fruits mûrs pendaient au-dessus de l'eau, il suffisait de tendre le bras pour se régaler. Bagheera, qui les observait toujours du haut d'un arbre, songea alors :

« Quelle bonne paire d'amis ! Finalement, je me demande si Mowgli ne ferait pas mieux de rester ici, avec Baloo, plutôt que d'aller vivre au village des hommes. »

Chapitre 3

Un concert de piaillements éclata soudain dans les arbres au-dessus des deux navigateurs. Le gros ours écervelé s'était mollement endormi. Bagheera sentit son sang se glacer dans ses veines :

« Les Bandar-Log ! murmura-t-elle. Le peuple des singes. Ils vont s'attaquer à mon petit d'homme ! »

Au même instant les hurlements d'angoisse de Mowgli confirmèrent ses craintes :

« Lâchez-moi ! Je ne veux pas ! Au secours, Baloo ! »

Les rires aigus d'une bande de singes surexcités lui répondirent. Suspendus par les jambes ou la queue aux branches d'un baobab, ils essayaient d'attraper le garçon qui se débattait tant qu'il pouvait.

« À moi, Baloo ! » hurlait le malheureux Mowgli, incapable de se défendre contre cette troupe d'animaux ricaneurs, habiles et malfaisants.

Alors le chant triomphant des Bandar-Log éclata. Ces gredins avaient réussi à enlever le petit

d'homme et braillaient leur chanson à tue-tête :

> « *Y'a pas plus malin*
> *qu'un singe*
> *Si ! Si ! Toute une bande*
> *de singes !* »

Mais Baloo couvrit la clameur
de leurs cris :

« C'est mon petit, rendez-moi mon petit d'ours. Je vous interdis de poser vos sales pattes sur lui ! »

Suspendus par la queue au baobab, plusieurs singes tiraient Mowgli par un bras, d'autres bombardaient Baloo de fruits et de noix de coco pour le faire taire. Ils se moquaient de l'ours en criant :

« Vieux fou ! Ce petit d'homme n'est pas un ours !

— Espèces de clowns, rendez-moi mon Mowgli, je vous l'ordonne ! tonitruait Baloo.

— Baloo, ils ne veulent pas me lâcher ! » hurla Mowgli.

Bagheera, hors d'elle, sauta de sa branche et alla rejoindre le pauvre Baloo, debout dans l'eau, les poings menaçants, hurlant les

pires injures aux Bandar-Log pendant que le petit d'homme passait
de mains en mains.

« Bagheera, hurla Baloo, ils me
prennent mon petit !

— J'ai tout vu, dit Bagheera,
désolée.

— Je faisais un petit somme... ils
me l'ont volé ! » se lamentait
Baloo, désemparé.

Les singes sautaient maintenant à travers les branches, tirant le garçon par un pied, par un bras. Ils se le lançaient en piaillant à tue-tête leur chant stupide :

« Y'a pas plus malin qu'un singe
Si ! Si ! Toute une bande de singes ! »

« Suivons-les, déclara Bagheera, ils emportent sûrement Mowgli dans l'ancien temple.

— Pourquoi dans l'ancien temple ? s'étonna Baloo.

— Il tombe en ruine, lui expliqua la panthère, les hommes l'ont abandonné à la jungle. Mais le roi des Bandar-Log, qui est complètement fou, en a fait son palais. C'est là, dans cette cité des singes, qu'ils enferment leurs prisonniers. Viens Baloo, nous n'avons pas une minute à perdre si nous voulons leur arracher Mowgli ! »

Ils s'élancèrent ensemble à travers la forêt, espérant atteindre le vieux temple avant la nuit. Pen-

dant ce temps Mowgli voyageait la tête en bas, emporté par les singes qui bondissaient d'arbre en arbre. Ils s'amusaient à jeter en l'air leur prisonnier en le faisant tournoyer.

Le garçon avait le vertige. Il se demandait où il était, où on l'emmenait... Enfin, il remarqua au loin une importante construction de pierre à demi-écroulée. Mère Louve lui avait parlé d'un ancien temple bâti par les hommes, et aujourd'hui habité par des singes ; c'était donc là qu'ils l'emportaient, mais pourquoi ?

Une foule de singes roux, velus, agités et bruyants vint à leur rencontre.

« Nous l'avons, nous l'avons !

criaient ceux qui l'avaient arraché à Baloo. Le voilà, c'est lui ! Laissez-nous passer, nous allons le présenter au roi ! »

Au milieu du temple, sur un trône imposant, le roi des Bandar-Log attendait. Mowgli lui fut d'abord présenté la tête en bas.

Le petit d'homme n'avait jamais rien vu de plus repoussant que ce singe ébouriffé, bedonnant, aux bras démesurés, à l'épaisse fourrure roussâtre. Le roi Louie se balançait sur son trône en se gavant de bananes dont il jetait les peaux tout autour de lui.

« C'est toi, le petit d'homme ? marmonna-t-il en se grattant le crâne. Tu te promènes la tête en bas. Tu es fou ?

— Non ! protesta le garçon. Je suis Mowgli, petit d'homme et enfant des loups. Le conseil des loups m'a rejeté à cause de Shere Khan. Désormais, je suis petit d'ours !

— Ah, ah, ah !... laisse-moi rire ! s'exclama l'affreux souverain en roulant des yeux terrifiants et en le saisissant par son pagne. Voyons, regarde-moi, serre-moi la main, tu vois bien que tu es mon petit cousin !

— Non ! Lâchez-moi ! cria Mowgli que le roi des Bandar-Log tenait suspendu à hauteur de son nez. Je ne peux pas avoir un singe comme cousin. Je ne veux pas !

— Mais si, bien sûr ! Écoute-moi : tu marches sur les pattes de derrière comme moi, tu as les mêmes mains. Donc, tu es mon cousin ! Et puis, tu aimes les bananes. Tiens, mange ! »

Frissonnant à l'idée qu'il pouvait être apparenté à cet horrible personnage, Mowgli avala la banane en se remémorant les conseils de Mère Louve qui l'avait mis en garde : « Les Bandar-Log

ont de mauvaises manières, ne res-
pectent rien, volent tout, mangent
tout, se jouent de tout. »

« Pourquoi m'as-tu fait enlever ?
demanda-t-il au roi Louie.

— Je sais que tu désires rester
dans la jungle. Tiens, prends une
autre banane », dit-il en la lui four-
rant, toute pelée, dans la bouche
et en lançant la peau derrière lui.

« Oui, reprit Mowgli la bouche
pleine. Je veux rester dans la
jungle... à tout prix !

— À tout prix ! répéta le roi
tout souriant. Parfait. Tu peux
donc compter sur moi. Nous
allons faire un pacte. »

Le souverain était si content
qu'il sauta de son trône et se mit à
exécuter une danse échevelée, agi-

tant bras et jambes dans tous les sens. Et il chantait à tue-tête :

« *Je veux être un homme,*
un homme ! un homme !
J'en ai assez d'être un Bandar-Log !
Je suis tout velu, tout roux,
tout roux,
mais j'veux être un homme
jusqu'au bout ! »

Mowgli riait, mais il se demandait avec inquiétude ce qu'allait lui demander ce roi fou. Quelles seraient les conditions du pacte ?

Le roi des singes continuait à chanter et à se trémousser en tapant des pieds et des mains. Ses sujets, de plus en plus nombreux, venaient se joindre à lui. D'autres frappaient sur un tronc d'arbre en cadence. Tout le monde s'agitait et dansait dans un vacarme infernal. Mowgli lui-même commençait à sentir ses jambes le démanger. Le roi, essoufflé, se calma et revint auprès du garçon :

« Pour devenir un homme, je sais qu'il me faut le secret de la fleur rouge. Faisons un marché tous les deux.

« — La fleur rouge... le feu ? Mais je ne sais pas comment on le fait ! J'ai toujours vécu avec des loups : ils ne connaissent pas le secret du feu, répondit Mowgli, désemparé.

— Tu es un petit d'homme, donc tu sais le faire pousser ! Tu me donnes le secret de la fleur rouge, et en échange tu restes dans la jungle. Je ne te demande-rai rien d'autre.

— Mais je ne peux pas, je ne sais pas ! » affirma Mowgli au roi Louie qui ne l'écoutait plus dans la rumeur assourdissante des chants et des danses.

Les singes se tortillaient en sau-tillant sur les pavés, et ils chan-taient le refrain de leur roi en bat-tant des mains. L'envie de danser

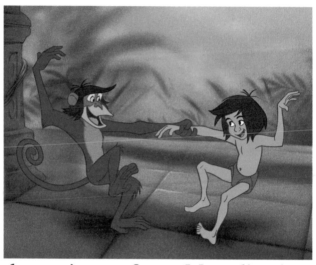

devenait trop forte, Mowgli se jeta
dans la mêlée en chantant avec
eux. Par une brèche dans le mur,
deux paires d'yeux l'observaient :
les yeux d'or de Bagheera, les
petits yeux brillants de Baloo.
Gagné par le démon de la danse,
l'ours commençait déjà à piétiner
le sol en se dandinant, à frapper
l'une contre l'autre ses pattes

avant. De sa grosse voix, il chantait :

« Doubi, doubi ! Doubidoubidou ! »

« Écoute-moi, Baloo, coupa Bagheera avec autorité. Il faut libérer Mowgli sans tarder, j'ai un plan, aide-moi.

— Bien sûr. Doubi, doubidou ! répondit l'ours en sautant d'un pied sur l'autre, entraîné par le tam-tam des singes.

— Bon, continue à danser, mais rejoins les singes ; ils seront étonnés de te voir... Arrange-toi pour faire diversion. Pendant ce temps-là, moi, je vais enlever Mowgli. compris ?

— Une di-ver-sion ! Doubi, doubidou ! J'y vais ! J'y cours ! »

s'exclama l'ours insouciant, ravi de se joindre à la fête.

Mowgli, emporté par le rythme, bondissait comme un petit fou sur le dallage ; il dansait avec un singe de sa taille.

« Comment l'enlever ? s'inquiétait Bagheera. Il ne va pas vouloir me suivre, il prend les singes pour ses amis ou ses frères maintenant ! »

Dans la demi-obscurité, la panthère crut voir une énorme guenon danser joyeusement avec le roi des singes.

« Non ! Mais c'est Baloo ! murmura Bagheera, stupéfaite. Il s'est fait un pagne et une coiffure de feuilles de bananier, un masque avec une noix de coco ! »

En dansant le roi chantait un couplet de son invention :

« Le petit d'homme danse comme nous !
Le petit d'homme danse avec nous !
Nous sommes tout velus tout roux
Il ne s'en faut pas de beaucoup...

— Doubidou-bidou... pour que nous soyons hommes jusqu'au bout ! Doubidou-bidou ! » reprenaient les singes en chœur.

Chapitre 4

De toute l'assemblée, la panthère était bien la seule à s'inquié-
ter. Mowgli et Baloo ne pensaient
plus qu'à sauter, danser et chanter
à la lueur des étoiles. Baloo se
démenait tant que son déguise-
ment commençait à dégringoler ;
le roi Louie le regardait avec éton-
nement. Tout à coup, il se mit à
hurler de colère :

« C'est Baloo ! C'est l'ours Baloo !

— Baloo ! Baloo ! répétèrent bêtement les singes.

— Il est venu chercher Mowgli ! rugit le roi des Bandar-Log, fou de rage.

— Chercher Mowgli ! » reprit le chœur des singes.

Les musiciens cessèrent leur tam-tam, les danses et les chants s'arrêtèrent. Des cris de colère fusèrent de partout. Mowgli avait reconnu son ami et il courut vers lui. Baloo le saisit au vol et le serra très fort contre sa fourrure.

« Fuir avec le petit d'homme avant que les singes ne nous sautent dessus ! » se répétait l'ours, conscient du danger.

« Rattrapez-les, rattrapez-les ! »
criait le roi, furieux.

Baloo voulut emprunter la
brèche du mur par laquelle il était
passé pour pénétrer dans la cité
des singes, mais il s'engagea dans
la mauvaise direction et se retrouva
à l'intérieur du temple. Il faisait
sombre dans cet inextricable laby-
rinthe, entrecoupé de racines,
envahi par la végétation.

En peu de temps, les poursuivants le rattrapèrent... s'abattirent
sur lui, se cramponnèrent à sa
fourrure de toutes leurs petites
pattes. Baloo continuait à courir,
serrant contre son cœur Mowgli
épouvanté.

« Baloo ne connaît pas les
secrets du temple, jamais il n'en

sortira, braillait le roi des Bandar-Log. Rattrapez-le ! »

Un gros singe saisit Mowgli par un bras et tenta de l'arracher à Baloo. Mais l'ours ne voulait pas lâcher son petit d'homme. À demi écartelé, Mowgli gémissait.

« Au secours, Bagheera ! » hurla Baloo qui se sentait perdu.

Pour échapper aux singes, il s'élança tête baissée dans l'obscurité, et alla heurter le gong du temple. Bang ! Le son de l'énorme disque de bronze résonna si fort que l'ours et l'enfant restèrent abasourdis. Étourdi par le choc, Baloo lâcha Mowgli. Les Bandar-Log, un instant distancés, approchaient en piaillant, les bras tendus pour saisir l'enfant. Un grondement mystérieux parcourut alors le temple, se propagea à travers l'édifice en ruine ; une grosse pierre se détacha du plafond et tomba entre Mowgli et ses poursuivants. Le roi Louie arrivait en proférant des injures. Il heurta violemment un pilier qui bascula. Une avalanche de pierres dégringola alors autour de lui. L'une d'elles lui tomba sur la tête. Le grondement s'amplifiait, la cité des singes s'effondrait.

« Mon palais ! » cria le roi des Bandar-Log, ne sachant s'il devait soutenir les ruines ou s'emparer de Mowgli.

Baloo avait repris Mowgli pour le protéger et le sauver des singes. Le roi Louie tentait d'arrêter l'effondrement du palais : bras levés, il soutenait le plafond. Baloo, qui perdait un peu la tête, lâcha de nouveau Mowgli et imita le roi des singes...

Mais Bagheera, toutes griffes dehors, surgit des ténèbres au secours de Mowgli et de Baloo.

« Sauvons-nous ! cria-t-elle. Tout s'écroule ! »

Le garçon sauta sur le dos de la panthère qui s'éloigna en quelques bonds.

« Baloo ! Baloo ! cria Mowgli, viens, viens vite !

— J'arrive ! » répondit le gros ours qui cessa enfin de soutenir le temple à bout de bras et l'abandonna au roi des Bandar-Log.

Tout s'écroula dans un énorme nuage de poussière.

Seul, le roi Louie restait stupidement debout, dressé au milieu de cet effroyable chaos, soutenant au-dessus de sa tête le chapiteau ébréché d'une colonne. La troupe des singes s'était dispersée en glapissant de terreur.

La panthère emportait Mowgli ; Baloo les avait rejoints. Ils fuirent ce lieu maudit sans se retourner et plongèrent dans la jungle, pour s'arrêter bien loin des cris des Bandar-Log.

« Nous l'avons échappé belle,

souffla Bagheera lorsqu'ils firent une halte à la nuit tombante.

— Oui, on a eu chaud ! Mais quel super tam-tam, on a bien ri et bien dansé..., répondit l'incorrigible Baloo.

— Baloo ! Les Bandar-Log sont nos ennemis ! coupa sévèrement Bagheera. Ils voulaient nous prendre Mowgli ! »

L'ours, tout honteux, garda le silence.

« Nous sommes loin de leur palais effondré, reprit la panthère. Aucun risque qu'ils nous rattrapent. Un bon repos nous fera du bien ; passons la nuit sous ce figuier banian. »

Épuisé, Mowgli s'était laissé tomber au pied du bel arbre, et il dormait déjà. Le bon gros ours s'approcha doucement de lui et le recouvrit de fougères pour qu'il ne prenne pas froid pendant la nuit.

« Dors bien, mon petit d'homme, murmura-t-il. Repose-toi. Bientôt tu deviendras un ours magnifique...

— Cesse de dire des bêtises ! gronda Bagheera. Tu sais très bien

que ce petit d'homme ne deviendra pas un ours, même si tu en as très envie.

— Chut ! souffla Baloo, tu vas réveiller mon petit ours ! »

Il s'allongea confortablement non loin de Mowgli et ronfla presque aussitôt. Seule Bagheera veillait. Elle montait la garde en songeant à Mowgli. La lune brillait, éclairant la cime des arbres. La forêt frémissait, emplie des bruissements furtifs d'animaux nocturnes.

« Il veut rester dans la jungle, se disait Bagheera. Comment le faire changer d'avis ? »

Lorsque les étoiles pâlirent, la panthère s'approcha de Baloo et chuchota :

« Réveille-toi. Il faut que je te parle.

— Ça ne peut pas attendre que j'aie fini de dormir ? grogna le gros paresseux en se retournant.

— Non, Baloo ! C'est sérieux, reprit la panthère en le secouant. Écoute-moi : il est temps pour toi de comprendre que Mowgli doit retourner au village des hommes.

— On s'entend si bien tous les deux..., supplia l'ours.

— Je t'en prie, Baloo, sois sérieux. Qu'arrivera-t-il à Mowgli dans la jungle, à ton avis ?

— Il deviendra grand et fort, comme moi.

— Je te répète qu'il ne sera jamais un ours. Compris ?

— Mais pourquoi ?

— Voyons ! Épouserais-tu une panthère ?

— Sûrement pas... d'ailleurs aucune ne m'a encore demandé en mariage ! s'esclaffa Baloo en se tordant de rire.

— Donc, un ours reste un ours, un petit d'homme reste un homme. Et un tigre est un tigre ! Shere Khan rôde... Tôt ou tard, il s'attaquera à Mowgli. C'est un mangeur d'hommes ! Il les craint, il les hait à cause de leurs fusils et de leur feu. Tôt ou tard, Shere Khan bondira sur lui. Pense à ce qui arrivera...

— Non ! pas mon petit d'homme ! cria Baloo, tout tremblant. Je vais tout faire pour le sauver.

— Alors, ramène-le au village à ma place, conseilla Bagheera, profitant de l'émotion de son interlocuteur. Je m'étais chargée de cette mission devant Akela, mais Mowgli n'a plus confiance en moi.

— Impossible ! Je lui ai promis de rester dans la jungle avec lui.

— Tu n'as qu'à lui faire comprendre qu'il ne faut pas. Il te croira. Moi, il ne m'écoute plus.

— Bon », fit tristement Baloo, sérieux pour une fois.

Bagheera s'éloigna doucement. Baloo poussa un gros soupir et alla réveiller Mowgli.

« Debout, petit d'homme ! C'est le matin. Il est temps de partir ; nous avons une longue étape aujourd'hui.

— Et on va bien s'amuser tous les deux, j'espère ! répondit Mowgli en se frottant les yeux.

— Oui, oui, promit évasivement le gros ours.

— Où allons-nous ? demanda Mowgli en s'installant sur le dos de Baloo.

— Bien loin... », répondit Baloo, soucieux.

Mowgli, tout joyeux, se mit en route sans remarquer l'air sinistre de son grand ami.

« Adieu, petit d'homme, et bonne chance... », murmura Bagheera, en les voyant disparaître dans la jungle.

Chapitre 5

Ils marchèrent longtemps. Mowgli s'était glissé sous la patte avant de Baloo, tout contre son épaisse fourrure au poil rude.

« Où allons-nous ? Où m'emmènes-tu ? » demandait de temps en temps le garçon, vaguement inquiet.

Baloo n'avait pas le courage de

répondre à cette question. Il parlait à Mowgli de tout autre chose, du chant des oiseaux, des petits animaux qui s'enfuyaient sur leur passage, des bons fruits dont ils allaient se régaler... Mowgli sentit que Baloo avait un secret qui lui serrait le cœur. Il finit par lui dire gentiment :

« Rien n'a d'importance ! Puisque je suis avec toi, Papa ours, tout m'est égal ! J'irai où tu voudras !

— Essaie de comprendre, Mowgli, commença Baloo d'une voix bizarre. Tu es un être humain...

— Non ! Maintenant, je suis un ours comme toi. Avant, j'étais un loup... D'ailleurs, tu m'as appris à montrer les dents, à grogner comme un ours. Regarde, écoute. Grrrr !

— Mon petit, bafouilla Baloo qui n'en pouvait plus. Je... J'ai... J'ai promis à Bagheera de te conduire au village des hommes. »

Mowgli, déçu, horrifié, s'écarta brusquement de Baloo, puis lui fit face en hurlant :

« Au village des hommes ? Mais tu m'avais promis... On ne devait plus se quitter, toi et moi ! Tu m'as trahi, Baloo, comme les autres ! Je ne te pardonnerai jamais !

— Écoute, c'est Bagheera... » tenta de lui expliquer Baloo, effondré.

Mais Mowgli avait tourné les talons et fuyait à toutes jambes sans rien écouter.

« Mowgli ! cria Baloo en se lançant à sa poursuite. Reviens ! Où es-tu, mon petit ours ? Non, mon petit d'homme ! Je vais tout t'expliquer... Attends-moi ! »

Le garçon filait vite. Il était leste et rapide, se faufilait sous les buissons, se suspendait aux lianes, sautait les fossés.

Baloo le perdit bientôt de vue.

Essoufflé, le gros ours s'arrêta, et regarda désespérément autour de lui en renouvelant ses appels. Mowgli avait disparu, mais les cris de Baloo avaient résonné à travers la forêt jusqu'aux oreilles de Bagheera. La panthère n'eut aucune difficulté à retrouver le malheureux ours qui avait échoué dans sa mission.

« Que s'est-il passé ? » demanda-t-elle, inquiète, en surgissant soudain devant lui.

Tout penaud, il hocha tristement la tête et avoua :

« Dès que je lui ai dit que je le conduisais au village des hommes, il m'a échappé et je n'ai pas pu le rattraper ! J'ai employé les mêmes mots que toi pour lui expliquer... »

Ils restèrent un moment silencieux. Baloo regrettait d'avoir été maladroit et s'inquiétait pour Mowgli. Bagheera se reprocha d'avoir confié le petit d'homme à ce gros lourdaud, puis songea qu'elle n'avait pas fait mieux.

« J'ai promis à Mère Louve de veiller sur lui... », se dit-elle en ima-

ginant les dangers qui guettaient Mowgli : Kaa, le redoutable python capable d'hypnotiser Mowgli au détour d'un sentier, les horribles Bandar-Log à l'affût dans les arbres, et Shere Khan !

« Baloo ! s'écria-t-elle. Il faut retrouver ses traces et les suivre d'urgence ; c'est à nous de le protéger. La jungle est dangereuse pour le petit d'homme et il ne veut pas le croire. Viens ! »

Mowgli était sûrement parti vers le cœur de la jungle pour tourner le dos au village des hommes et échapper à Baloo qui avait promis de l'y conduire. Bientôt Bagheera et Baloo retrouvèrent la piste de Mowgli : il avait buté sur cette racine, s'était tapi sous ce buisson. Ses empreintes le long de la rivière montraient qu'il avait couru jusqu'à l'arbre déraciné qui lui avait servi de pont pour la franchir.

« Les empreintes s'arrêtent ici ! cria Baloo. S'il est arrivé malheur à Mowgli, je ne me le pardonnerai jamais. »

Mowgli n'avait qu'une idée en tête : fuir Baloo qui l'avait trahi, alors qu'il lui faisait confiance et l'aimait tant. Le garçon était également furieux contre Bagheera, coupable d'avoir incité Baloo à le tromper. Il se répétait, en s'enfonçant dans la jungle pour s'éloigner d'eux :

« Je n'irai pas au village des

hommes ; je suis chez moi dans la jungle. Je n'ai besoin de personne. »

Un peu plus tard, il ralentit son allure en se disant :

« Depuis le temps, j'ai sûrement semé Baloo ; il ne va pas retrouver ma trace. Quant à Bagheera, elle ignore même que je me suis enfui ! »

Après avoir traversé la rivière en passant sur le gros arbre déraciné, il s'amusa à escalader un amas de rochers et but l'eau fraîche d'une source, puis il reprit sa marche dans la forêt. Jamais il n'était passé par là ; la jungle lui parut soudain immense. Déjà, son cher gros Baloo lui manquait ! Tout à coup, un sifflement inquiétant lui fit lever la tête. Du haut d'un arbre, Kaa le fixait de ses yeux jaunes.

« Salut, Mowgli ! dit-il aimablement en tortillant son long corps. On dirait que tu es tout seul ? Nous pouvons bavarder, si tu n'es pas trop pressé... »

Mais Mowgli n'en avait aucune envie. Il jeta un regard soupçon-

neux au serpent enroulé sur une grosse branche d'arbre. Le python, sans attendre de réponse, commença à siffler un air ravissant en balançant la tête, les yeux fixés sur le garçon. Mowgli, malgré lui, fut sensible au charme de cette berceuse, qui lui réchauffait le cœur dans sa solitude.

« C'est joli, se dit-il en battant des paupières, écoutons cette musique juste un petit instant pour se reposer... »

Kaa continuait à chanter ; les yeux de Mowgli se fermaient, il s'endormait. Kaa, tout en prolongeant son doux sifflement, s'approcha de sa proie. Le python se préparait tranquillement à étouffer Mowgli en le serrant dans ses anneaux avant de l'engloutir, mais il prenait son temps. Soudain, Shere Khan émergea d'un fourré. En trois bonds, le tigre fut au pied de l'arbre.

« Kaa, gronda Shere Khan. Qu'est-ce que tu caches dans tes anneaux ? Je veux le savoir.

— Moi ? Rien, personne !

— Comment veux-tu que je te croie ? menteur comme tu es ! Ne serait-ce pas ce petit d'homme dont toute la jungle parle ? Dis-le-moi, car j'ai l'intention de n'en faire qu'une bouchée à notre première rencontre !

— Moi, menteur ? Apprends que je suis le plus honnête des habitants de la jungle ! se vanta Kaa.

— Si tu n'as rien à cacher, déroule tes anneaux alors... »

Le python déroula une partie de son long corps sinueux et fit bouger habilement tous ses anneaux de la tête à la queue sans montrer ce qu'il cachait.

« J'ai envie de t'écraser sous ma patte ! » râla Shere Khan, furieux,

97

en enfonçant ses griffes dans le cou de Kaa. La tête du python se dressa sous l'effet de la colère et de la douleur.

Il en profita pour fixer Shere Khan de ses grands yeux, prêt à l'hypnotiser. Mais le tigre détourna son regard. Il se méfiait du redoutable pouvoir du python.

« Tu cherches Mowgli, dit le serpent pour se débarrasser enfin de Shere Khan. Je l'ai aperçu ce matin, il se dirigeait par là ! »

Et le menteur indiqua une direction que Shere Khan, mécontent, prit aussitôt sans se retourner. Mowgli n'avait rien entendu, il reprenait tout juste ses esprits ; comprenant la gravité de la situation, il s'extirpa de l'étau qui l'enserrait et, de toutes ses forces, comme la première fois, poussa la masse des anneaux pour faire basculer le serpent. Kaa, qui ne s'y attendait pas, tomba lourdement à terre, où il resta un moment étourdi.

Déjà le garçon filait à toutes jambes. Le python, vexé, voulut se lancer à sa poursuite. Mais dans sa précipitation, Kaa passa sans se méfier sur une souche. Sa queue y resta prise un bon moment. Mowgli saisit sa chance. Il courut droit devant lui sans savoir où il allait. Quand il s'arrêta, épuisé, il avait atteint le « pays de la désolation », l'immense plaine hérissée de rochers, parsemée d'arbres où s'étendait le « lac noir ».

Chapitre 6

Ressassant de sombres pensées, Mowgli s'assit sur une pierre au bord de l'eau.

« Finalement, on ne peut faire confiance à personne dans la jungle ! songeait-il. Je n'ai plus d'amis ! »

D'étranges créatures ailées descendirent de l'arbre où elles

s'étaient perchées pour l'observer.
Mowgli tressaillit. Il n'avait jamais
vu de si près les vautours mangeurs
de charogne, qui planaient souvent au-dessus de la jungle. Ils
jacassaient entre eux :

« C'est quoi ? s'étonna l'un
d'eux qui s'appelait Buzzie. Une
cigogne sans plumes ?

— Ça ressemble à un paquet

d'os ! railla Ziggy de sa voix aigre.

— Non ! Ce n'est pas un sque-
lette ; ça se lève, ça tient debout, ça
marche. Je crois que c'est un petit
d'homme... marmonna Dizzie. Il
a l'air malheureux comme tout ! »

Mowgli, qui avait songé à s'éloigner sans se faire remarquer, pré-
féra se présenter :

« Je suis Mowgli, un petit
d'homme qui commence à comprendre qu'il n'a pas d'amis dans
la jungle.

— Et les vautours ? Tu peux
compter sur eux ! dit le quatrième
qui n'avait pas encore parlé. Nous
sommes tes amis !

— Merci, je préfère rester seul.

— Laisse-nous te consoler »,
insista Flaps, et, battant la mesure

avec son cou déplumé, il jacassa gaiement :

« Petit d'homme si tu tombes,
il faudra bien te ramasser.
Et si jamais tu succombes,
il faudra bien t'emporter.
Les vautours sont là pour ça,
les bons amis que voilà ! »

Et les trois autres reprirent en sautillant :

« Dans la forêt, la rivière, la savane
ou les bambous,
à l'heure dernière, chacun peut
compter sur nous ! »

« Ils sont laids, mais rigolos, et sûrement pas méchants ! constata

Mowgli, presque consolé, en agitant ses bras comme des ailes et en sautillant avec les vautours. Bagheera avait raison, il ne faut jamais juger les gens sur leur apparence ! »

Personne n'avait remarqué la présence de Shere Khan. Tapi tout près de là, il applaudit soudain en rugissant.

« Au secours ! C'est Shere Khan ! piaillèrent les vautours épouvantés, en remontant vite se percher sur leur arbre. Sauve-toi, petit d'homme ! Cours ! C'est ta seule chance ! »

Mowgli regarda autour de lui ; pourquoi s'enfuir ? Où aller ? Il n'y avait pas la moindre cachette en vue. Le cœur battant, il se tourna et fit face à Shere Khan. Le tigre poussa un feulement de satisfaction. Enfin, il tenait à sa merci cette proie de choix qu'il désirait tant.

« Tu ne me fais pas peur ! prétendit bravement Mowgli.

— Tu m'as l'air bien sûr de toi ! ricana le tigre en se pourléchant les babines. Je compte jusqu'à dix avant de m'élancer. Nous allons nous amuser tous les deux. Moi, à te poursuivre ; toi, à m'échapper ! Allons : un, deux, trois...

— Sauve-toi, Mowgli ! piaillaient les vautours épouvantés.

— Quatre, cinq, six...

— Tu ne me fais pas peur, répétait Mowgli.

— Sept, huit, neuf, DIX ! » rugit le tigre en bondissant, toutes griffes en avant.

Il s'effondra de tout son long sur le sol : Baloo, le brave gros Baloo qui avait suivi les traces de Mowgli, venait d'empoigner le tigre par la queue et ne le lâchait

plus ! Fou de rage, Shere Khan se releva ; l'ours tenait bon.

« Mowgli, sauve-toi ! » cria Baloo.

Le garçon courait déjà, Shere Khan sur ses talons. Baloo le retenait par la queue de toutes ses forces, de tout son poids. Le félin courait, sautait, secouait le courageux Baloo.

« Sauvez le petit d'homme ! »
hurla l'ours aux vautours.

Les trois plus courageux descendirent vers Mowgli et l'em-
portèrent entre leurs serres sous
le nez du tigre. Furieux, Shere
Khan se retourna contre Baloo. La
bataille fut terrible. Baloo était
fort, vaillant, mais moins agile que

son adversaire. Il allait finir par lâcher prise...

« Il va tuer mon Baloo ! » gémit Mowgli, atterré, en sautant de l'arbre où l'avaient installé les vautours.

Brandissant son gourdin, il s'avança crânement vers le tigre, en hurlant d'une voix suraiguë :

« À nous deux, Shere Khan ! Laisse mon Ba... »

Un terrible coup de tonnerre lui coupa la parole, tandis qu'un éclair zébrait le ciel. La foudre tomba tout près.

En un instant, la jungle se transforma en un immense brasier. Quand Mowgli, étourdi, aveuglé, rouvrit les yeux, la fleur rouge brillait dans les branches d'un arbre voisin. Et plus loin, au bord du lac, le garçon aperçut Shere Khan qui se tenait, triomphant, sur le corps de Baloo...

Mowgli, le cœur serré, poussa un cri de désespoir auquel répondit le feulement de triomphe de Shere Khan. Le tigre se tournait vers lui, prêt à l'attaquer maintenant. Alors, Mowgli se rappela les paroles de Père Loup :

« Il m'a toujours dit que les animaux de la jungle ont peur du feu, mais moi, je suis un petit d'homme ! »

Et il se dressa sur la pointe des pieds pour attraper une branche enflammée. Il la détacha de l'arbre, la garda entre ses doigts serrés et se précipita vers Shere

Khan. Le tigre le regardait venir, le
regard chargé à la fois de haine et
de terreur.

« Lâche la fleur rouge ! rugit-il,
menaçant et terrifié.

— Non ! » cria fièrement Mowgli, en s'avançant plus près.

L'orage s'éloignait, mais le feu
crépitait dans les broussailles. Les

vautours poussaient des cris sinistres. Mowgli tournait autour de Shere Khan ; des bouquets d'étincelles jaillissaient de la branche en feu qu'il brandissait, faisant luire les yeux épouvantés du tigre.

Les vautours harcelaient Shere

Khan pour protéger Mowgli. Le garçon en profita pour passer derrière le tigre. Avant que Shere Khan ait eu le temps de réagir, Mowgli saisit la queue du fauve et y attacha la branche enflammée. Shere Khan fit volte-face avec un rugissement de rage et de terreur. D'un bond, il s'enfuit, laissant une gerbe d'étincelles dans son sillage. Et la jungle se referma sur lui.

Sans bruit, Bagheera avait rejoint Mowgli :

« J'ai tout vu, dit-elle simplement. Tu as chassé Shere Khan, petit d'homme ; il ne reviendra pas. »

L'orage s'était éloigné. Le ciel était clair.

« Allons voir Baloo ! » dit Mowgli.

Le visage ruisselant de larmes, le garçon s'approcha de son cher Baloo qui gisait à terre. Bagheera le suivait. Elle poussa un soupir. Mowgli, agenouillé près de son grand ami qui s'était sacrifié pour lui, prit sa grosse tête entre ses

bras, la pressa contre son cœur en murmurant :

« Baloo, mon cher Baloo ! Dis-moi quelque chose ! Il se tourna vers la panthère et ajouta : Bagheera, tu crois qu'il est...

— Hélas, oui, je le crois... souf-

fla Bagheera. C'était le meilleur des amis, petit d'homme. Il t'a donné la plus belle marque d'affection. Il ne faudra jamais l'oublier ! »

Mowgli embrassait le museau de l'ours en sanglotant. Soudain, il lui sembla qu'une paupière de Baloo frémissait...

« Ici repose notre grand ami, le plus noble animal de la création, prononça Bagheera, solennelle. Sous son rude pelage battait un grand cœur, un cœur généreux, noble, loyal.

— Ça, tu peux le dire ! maugréa Baloo en ouvrant un œil. Merci pour l'oraison funèbre, mais je ne suis pas tout à fait mort !

— Mon Baloo ! mon vieux

Baloo ! tu es vivant ! riait, pleurait Mowgli en grimpant pour s'asseoir sur le ventre rebondi de l'ours.

— Écoute, Baloo ! s'écria Bagheera, toute réjouie : Mowgli a chassé Shere Khan pour toujours.

— Mais comment ? s'exclama Baloo.

— Avec la fleur rouge !

— Alors tu peux désormais rester dans la jungle, Mowgli ! cria Baloo, tout à fait remis à l'annonce de cette bonne nouvelle.

— Et tu es devenu un homme, Mowgli ! ajouta Bagheera.

— C'est vrai, reconnut Baloo, tout ému.

— À toi de choisir, Mowgli, ajouta sagement Bagheera. Mais c'est dommage d'avoir fait tout ce chemin sans voir...

— Sans voir quoi ? coupa Mowgli en grimpant sur les épaules de Baloo, déjà prêt à repartir au fin fond de la jungle.

— Le village des hommes, bien sûr ! Nous y sommes presque...

— Mais je ne veux pas y aller, mes amis, vous le savez !

— Juste un coup d'œil. Viens mon petit ! » dit l'ours.

Mowgli se sentait très heureux sur les épaules de Baloo. Ils marchèrent un moment, puis débouchèrent à l'orée de la forêt dans un lieu ensoleillé, traversé par un cours d'eau.

« C'est là, dit Bagheera. Regardez sans vous montrer.

— Le village », murmura Mowgli, les yeux écarquillés, captivé par un son clair et léger, une musique jamais entendue.

Une fille de son âge venait vers la rivière, portant une cruche sur la tête. Elle chantait d'une voix douce.

« Qu'est-ce que c'est ? demanda Mowgli, stupéfait.

— Une petite fille du village, répondit Bagheera.

— Je voudrais la voir de plus près ! chuchota Mowgli.

— Non ! N'y va pas, petit d'homme ! gémit Baloo.

—Je reviens ! » dit Mowgli en se dirigeant vers la fillette, qui puisait de l'eau agenouillée sur la rive.

Ils se sourirent. Elle se releva et marcha vers le village. Mowgli hésita, puis prit la cruche, la posa sur sa tête et se retourna vers la jungle pour faire signe à ses amis.

« Viens, Baloo, murmura gentiment la panthère. Mowgli vivra heureux parmi les siens et jamais il ne nous oubliera ! »

Table

Imprimé en France par **Partenaires-Livres®**
N° dépôt légal : 48934 - juillet 2004
20.20.0738.06/3 ISBN : 2-01-200738-4

Loi n° 49-956 du 16 juillet 1949
sur les publications destinées à la jeunesse